À Jean-Pierre, mon ami et musicien.

Catalogage avant publication de Bibliothèque et
Archives nationales du Québec et Bibliothèque et Archives Canada

Bergeron, Alain M., 1957-

      Elvis et ses musiciens

      (Mini Ketto ; 9)
      Pour enfants de 7 ans et plus.

      ISBN 978-2-89591-298-9

      I. Fil et Julie. II. Titre. III. Collection : Mini Ketto ; 9.

PS8553.E674E48 2016   jC843'.54   C2016-941478-7
PS9553.E674E48 2016

Tous droits réservés
Dépôts légaux : 2e trimestre 2017
Bibliothèque nationale du Québec
Bibliothèque nationale du Canada
ISBN : 978-2-89591-297-2

Conception graphique et illustrations : Fil et Julie
Mise en pages : Amélie Côté
Correction et révision : Annie Pronovost

© 2017 Les éditions FouLire inc.
4339, rue des Bécassines
Québec (Québec) G1G 1V5
CANADA
Téléphone : 418 628-4029
Sans frais depuis l'Amérique du Nord : 1 877 628-4029
Télécopie : 418 628-4801
info@foulire.com

Les éditions FouLire reconnaissent l'aide financière du gouvernement du Canada pour
leurs activités d'édition.

Elles remercient la Société de développement des entreprises culturelles du Québec (SODEC)
pour son aide à l'édition et à la promotion.

Elles remercient également le Conseil des arts du Canada de l'aide accordée à leur programme
de publication.

Gouvernement du Québec – Programme de crédit d'impôt pour l'édition de livres – gestion SODEC.

Imprimé avec des encres végétales sur
du papier dépourvu d'acide et de chlore
et contenant 10 % de matières recyclées
post-consommation.

MIXTE
Papier
FSC FSC® C103452

Canada

IMPRIMÉ AU CANADA/PRINTED IN CANADA

Alain M. Bergeron
Fil et Julie

Elvis et ses musiciens

ÉDITIONS FouLire • mini KeTTÓ

Chapitre 1

Les parents de Mélodie sont de grands voyageurs. Ils parcourent la planète avec leur fille. Ils aiment lui faire découvrir le monde. Ils ont eu froid dans l'Arctique. Ils ont eu chaud dans le désert du Sahara. Ils ont eu le vertige au sommet des Alpes. Ils ont nagé avec les requins dans l'océan.

Depuis quelques jours, Charlie, le jeune cousin de Mélodie, est avec eux. À cause de ses longs cheveux blonds bouclés, on l'appelle Charlie-le-frisé. Il veut vivre des aventures excitantes.

La famille établit son campement dans une clairière, aux abords de la jungle. Puis, les parents vont en voiture à un village proche pour acheter des provisions. Ils seront absents quelques heures.

— Amusez-vous, disent-ils aux enfants avant de partir.

C'est Mélodie qui s'occupe de son cousin. Elle lui propose de bricoler des animaux de la jungle en papier.

– Un bricolage ? Tu blagues, Mélodie ? Allons explorer ! déclare Charlie-le-frisé.

Mélodie hésite.

– Je ne crois pas que mes parents seraient d'accord…

Le garçon insiste.

– Tes parents nous ont demandé
de nous amuser ! Du bricolage,
ce n'est pas amusant, ça ! Moi,
j'ai envie d'explorer !

Devant la détermination de
son cousin, Mélodie accepte.

– Bon… Mais tu devras m'obéir.

– Promis ! dit Charlie.

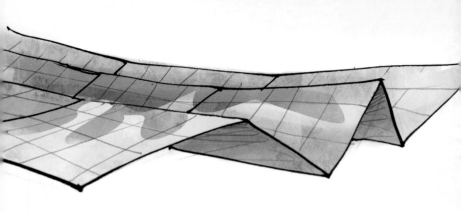

Mélodie déplie une carte sur le sol.
Elle voit qu'il y a une cascade
dans les environs. Ce serait
une belle expédition.

La jeune fille ouvre la marche.
Elle ignore encore que son cousin
a un don : celui de se mettre
les pieds dans les plats.

– Reste avec moi, Charlie, lui
conseille Mélodie.

Elle tourne la tête pour regarder derrière elle. Son cousin n'est plus là. Où est-il passé ? Une voix lointaine s'élève dans la jungle :

– Je suis perduuuuuuu !

Mélodie soupire.

– C'est mal parti…

Au bout de quelques minutes, elle repère son cousin. Il est dans l'ombre d'un arbre aux immenses feuilles brunes. Dès qu'elle l'aperçoit, elle l'avertit :

– Ne bouge pas !

Une monstrueuse araignée aux pattes velues s'avance sur l'épaule du garçon.

Chapitre 2

L'araignée sur son épaule, Charlie-le-frisé court droit devant lui en hurlant :

— Aaaaaaaaaaaaaah !

— Attends-moi ! le prévient Mélodie.

Trop tard. Il a disparu. Encore !

La jeune fille réussit à le localiser
grâce à ses cris. Elle retrouve
son cousin accroché à des lianes.
Il est suspendu un mètre au-dessus
du sol. Il a les yeux fermés et ses
jambes continuent de pédaler dans
le vide. Cela fait sourire Mélodie.

– J'arrive, Tarzan…

Elle dénoue les lianes.
Charlie-le-frisé tombe par terre.
Il se relève aussitôt, énervé.

– Où est l'araignée ? Où est l'araignée ?

Mélodie le rassure d'un geste apaisant.

– Elle n'est plus sur ton épaule.

Son cousin se calme un peu.

– Elle est sur ta tête ! lui signale Mélodie.

Avec précaution, elle cueille l'araignée. Mélodie la laisse monter sur son bras. Charlie-le-frisé recule de quelques pas et grimace de dégoût.

Mélodie rigole.

– Hi ! Hi ! Hi ! Ça chatouille.

Charlie-le-frisé boude, les bras croisés sur sa poitrine.

– Alors, est-ce qu'on la cherche, cette cascade ?

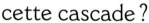

Presque à regret, Mélodie dépose l'araignée sur un tapis de feuilles mortes.

– Au revoir, mignonne.

– Mignonne ? répète son cousin, incrédule.

Les enfants avancent dans la jungle.
Ils entendent un bruit de plus en
plus fort. On dirait un robinet géant
qui coule… La forêt s'éclaircit. Les
deux jeunes grimpent avec agilité
sur un imposant rocher. Soudain,
ils poussent un cri d'admiration :

– Wow !

Ils sont arrivés à la cascade. Elle est haute d'une vingtaine de mètres et large comme une rue de quartier. Les cousins s'en approchent et tendent l'oreille. Par-dessus le grondement de la chute, ils distinguent un autre son.

– On dirait un tambour, croit Mélodie.

Charlie-le-frisé se concentre.

– Oui ! Tu as raison.

Le bruit provient de derrière la chute. Quel est ce mystère ?

– Allons voir, propose Mélodie.

Chapitre 3

Mélodie et Charlie-le-frisé sont intrigués par le rythme du tambour qu'ils entendent derrière la cascade.

BOUM! BOUM! BOUM! BOUM! BOUM!

Les cousins sont curieux d'en connaître la source… Mélodie voit une brèche au milieu des rochers. Suivie de Charlie, elle s'y glisse et aboutit en arrière de la chute.

Ils restent quelques secondes à contempler l'envers du décor.

– C'est merveilleux ! s'exclame Mélodie.

Charlie danse sur place.

– Toute cette eau qui coule, ça me donne envie de faire pipi, se plaint-il.

Le son du tambour les ramène à la réalité. Mélodie comprend qu'il vient du fond d'une grotte. Elle allume sa lampe de poche et dit à Charlie-le-frisé :

– Ne t'éloigne pas…

Silence.

Mélodie pivote sur elle-même. Aucune trace du garçon. Elle met ses mains en porte-voix :

– CHARLIE ! CHARLIE !

BOUM!
BOUM!

Seul l'écho lui répond. Si son cousin était dans une histoire de *Peter Pan*, il aurait le rôle d'un garçon perdu !

Mélodie s'enfonce dans la grotte. Elle accélère le pas.

Là-bas ! De la lumière !

En plus du tambour, elle entend un air de musique…

De la musique ?

Au fond de la grotte, il y a une autre issue. Mélodie sort à l'air libre. Elle a alors la surprise de sa vie.

C'est un spectacle !

Le plus fascinant, ce n'est pas la foule réunie dans des gradins naturels. Ni la grosse banderole qui domine la scène et sur laquelle on peut lire : *Le Festival de musique de la jungle*. Le plus fascinant, c'est le groupe qui joue.

Il est composé… d'animaux !

Chapitre 4

le Festival de musique
de la jungle

Mélodie reste muette tellement
elle est impressionnée. Elle oublie
même son cousin Charlie-le-frisé.
Dans ce coin de pays inconnu, des
animaux font un spectacle. Il y a un
lion à la guitare, un tigre à la basse,
un crocodile au clavier, un éléphant à
la batterie et un singe à l'harmonica.

Comment cinq animaux parviennent-ils à jouer de la musique ? En harmonie, en plus ? Ils ont du rythme et du talent !

L'orchestre prend une courte pause.
Un phacochère, déguisé en maître
de cérémonie, s'avance au micro.

– J'ai une blague pour vous.
Saviez-vous que les éléphants
sont les seuls animaux incapables
de sauter ? Tant pis pour eux…
et tant mieux pour nous !

Les hyènes, dans les premiers
rangs, rigolent un bon coup !

Fier de lui, le phacochère annonce :

– Et revoici Elvis et ses musiciens !

Les lieux sont éclairés par des
millions de lucioles. La musique
est électrique. Le public, constitué
d'animaux de toutes les espèces,
participe avec enthousiasme.

Mélodie sort son appareil pour faire une photo. Subitement, deux gorilles l'attrapent par le bras. Ils la soulèvent et la portent vers l'avant. Sur un ordre d'Elvis, les musiciens cessent de jouer. Les spectateurs font silence.

Les gorilles la relâchent sur la scène, entre le lion et le tigre. Mélodie est inquiète. Elle se prépare au pire. Est-elle en danger ?

Avec calme, le lion Elvis lui demande :

– Vous êtes venue pour la photo ?

– *Cool* ! lance le tigre en ajustant ses lunettes.

– J'adore les photos, dit l'éléphant.

– Moi aussi, ouistiti ! ajoute le singe.

– Regardez, je souris déjà à belles dents ! clame le crocodile.

Le lion Elvis brosse sa crinière avec sa large patte.

– Je n'aime pas être décoiffé…

Soudain, un cri éclate :

– Lâche-moi, le babouin !

C'est Charlie-le-frisé ! Un gorille l'a mis sur son épaule et le conduit jusqu'à Mélodie.

Chapitre 5

Charlie-le-frisé retrouve Mélodie avec soulagement. En l'apercevant, le lion Elvis s'adresse à son ami musicien, le ouistiti.

– Eh, Jazzy ! C'est un cousin à toi, ça ? Un genre de macaque ?

Le petit singe pousse quelques
notes dans son harmonica.
Il renfonce son chapeau sur
ses yeux.

– Peut-être un cousin très éloigné,
répond-il.

C'est à ce moment que Charlie-
le-frisé remarque la présence
des animaux musiciens. Il s'étonne,
puis se met à douter. Le garçon
ne recule pas. Il fait son brave.

– Pffff! Ce sont des mascottes.
Je vais te le prouver, cousine…

Charlie-le-frisé s'approche
du lion. Mélodie le prévient :

– Je ne ferais pas ça, si j'étais toi…

Son cousin ne l'écoute pas.

Sans gêne, il pince le museau
du lion, puis lui ouvre la gueule.
Il jette un coup d'œil à l'intérieur
et grimace.

– Eurk! Elvis-la-peluche, vous devriez vous brosser les dents plus souvent!

Le lion Elvis ne réagit pas.

Le garçon marche sur la queue du tigre.

– Oups! Désolé, le tigre géant! dit Charlie-le-frisé avec un air taquin.

Et il répète son manège. Le tigre serre les dents.

– Pas *cool*…

Charlie s'arrête devant l'éléphant.

– Hé, vous jouez à l'oreille ? Ha ! Ha ! Ha !

Le cousin de Mélodie pointe du doigt le maître de cérémonie, en coulisse, et s'exclame :

– C'est une bonne blague, ça, pas vrai, Pumbaa ? Vous l'ajouterez à votre répertoire.

Le phacochère hoche la tête.

– Je ne comprends pas… C'est qui, Pumbaa ?

Charlie saisit la trompe de l'éléphant. Il souffle dedans en imitant le bruit d'une trompette. Les grandes oreilles du musicien géant battent au vent. Le ouistiti en perd son chapeau. Le garçon le ramasse, le pose à l'envers sur sa tête et fait des simagrées. Puis, il redonne le chapeau au ouistiti, qui semble insulté.

Ensuite, Charlie-le-frisé agrippe les mâchoires du crocodile et les fait claquer. Il emprunte une drôle de voix pour chanter :

– Ah, les crocos, ah, les crocos, ah, les crocodiles. Sur le bord du Nil, ils sont partis, n'en parlons plus…

Le garçon étire le bras. Il ébouriffe la crinière du lion Elvis.

Erreur ! C'était LA chose à ne pas faire !

Chapitre 6

Furieux, le lion rugit à défriser
les cheveux de ce pauvre Charlie !

GROAAAAAAAAAARRRR !

Le garçon en pâlit d'effroi.
Ses jambes tremblent. Il comprend
enfin que le lion n'est pas
une mascotte !

– Eh, petit ! l'avertit Elvis. Défense de toucher à ma crinière !

Avec sa grosse patte, il replace ses crins.

– Elvis n'aime pas être décoiffé…

– *Cool* ! approuve le tigre Bengali.

Le crocodile claque des mâchoires pour rigoler. L'éléphant nettoie le bout de sa trompe. Le ouistiti ajuste son chapeau. Charlie constate son erreur. Il se cache derrière Mélodie.

– Je ne veux pas être la collation d'Elvis, moi !

Charlie blâme même sa cousine :

– Tu aurais pu me le dire, que c'étaient de vrais animaux !

De retour à son micro, le phacochère présente les membres du groupe : le lion guitariste Elvis ; le tigre bassiste Bengali ; le crocodile claviériste Crocrock ; l'éléphant batteur Punky ; et le singe harmoniciste Jazzy.

C'est le temps pour Mélodie de prendre sa photo.

L'éléphant barrit un coup de trompette. C'est le signal.
Il compte :

– 1-2-3-4 !

Et la musique recommence.

Mélodie s'empare d'un tambourin et accompagne avec plaisir Elvis et ses musiciens. Charlie-le-frisé se laisse apprivoiser. Après bien des hésitations, il va vers le ouistiti. Celui-ci lui prête son chapeau. Le garçon danse et tape dans ses mains.

Entre deux accords de guitare, Elvis dit aux cousins :

— On se fixe un rendez-vous pour le prochain festival ? Vous ferez partie d'Elvis et ses musiciens !

— Ouiiii ! répondent en chœur Mélodie et Charlie-le-frisé.

Le phacochère, maître de cérémonie, revient à son micro en
riant joyeusement :

– Des humains dans un orchestre !
Alors, ça, c'est tout simplement
incroyable ! Ha ! Ha ! Ha !

mini
KETTÓ

Illustrateurs : Fil et Julie et Julie St-Onge Drouin

Alain M. Bergeron a aussi écrit aux éditions FouLire :

- Rire aux étoiles - Série Virginie Vanelli
- Le Chat-Ô en folie
- Mes parents sont gentils mais… tellement malchanceux !
- La Bande des Quatre
- Les aventures de Pépé

Achevé d'imprimer à Québec,
avril 2017.